Фотоальбом
ПТИЦЫ УЗБЕКИСТАНА

BIRDS OF UZBEKISTAN
Photoalbum

ТАШКЕНТ-2012

Природа Узбекистана

Узбекистан расположен в центре Средней Азии, его площадь 448 844 км2. Это самая густонаселенная страна из всех государств Центральной Азии. Но, несмотря на это, природа Узбекистана богата и разнообразна. На севере страны расположено уникальное плоское поднятие - плато Устюрт, обрывы (чинки) которого служат берегами Аральского моря. Расположенная в центре Узбекистана обширная пустыня Кызылкум соседствует с пойменными (тугайными) лесами двух крупнейших среднеазиатских рек Сырдарьи и Амударьи. На юге и востоке возвышаются отроги горных хребтов Памиро-Алая и Тянь-Шаня, снег на вершинах которых лежит круглый год. На территории страны более 500 озер и водохранилищ.

Наряду с культурным и историческим наследием, Узбекистан представляет большой интерес и для любителей живой природы. В разнообразных ландшафтах страны встречается около 4500 видов растений, 14900 видов беспозвоночных и 702 вида позвоночных животных. Среди них около 400 растений и 40 позвоночных животных нигде за пределами Средней Азии не встречаются, то есть являются эндемиками. Неповторимость природы Узбекистана во все времена привлекала внимание ученых, путешественников и просто ценителей красоты.

Биологическое разнообразие Узбекистана имеет глобальное значение и строго охраняется государством. Охраняемые природные территории страны включают в себя 8 заповедников, 2 национальных парка, 1 биосферный резерват, 10 заказников, 5 памятников природы и 1 центр по разведению редких видов животных. 2 водно-болотных угодья имеют международные сертификаты Ramsar, 51 участок включен в мировую сеть Imortant Bird Area (IBA).

Большим разнообразием характеризуется фауна птиц страны. Узбекистан находится на пересечении пролетных путей из Западной Сибири и Казахстана на ирано-каспийские и индо-пакистанские зимовки. Благодаря этому здесь встречается более 460 видов птиц, из них более 265 видов гнездятся.

The nature of Uzbekistan

Uzbekistan is situated in the center of Central Asia. The are of Uzbekistan is 448,844 sq. km. It is the most densely populate state of all Central Asian states. Despite this, nature in Uzbekista is rich and diverse. A unique elevation is Plateau Ustyurt, th escarpments of which form the shores of the Aral Sea, is situate in the north of Uzbekistan. A vast desert Kyzylkum neighbors th

flood-land tugai forests fringing two largest Central Asian river the Syrdarya and the Amudarya. The spurs of the mountain rang of Pamyrs-Alai and Tien-Shan with snow caps all the year round ris in the south and east. There are more than 500 lakes and reservoi in Uzbekistan.

Together with the cultural and historic heritage, Uzbekista is of interest for the lovers of wild life. About 4500 plant, 14,90 invertebrate and 702 vertebrate animal species are recorded acro diverse landscapes of Uzbekistan. Of these, about 400 plant and 4 vertebrate animals species are not recorded outside Central Asi i.e. they are endemics. The unique nature of Uzbekistan has alwa attracted scientists, travelers and nature-lovers.

The biological diversity of Uzbekistan is of global importanc and is strictly protected by the state. Protected natural areas Uzbekistan include 8 nature reserves, 2 national parks, 1 biospher reserve, 10 preserves, 5 nature monuments, and 1 center fo rare animal breeding. Two wetlands have Ramsar internation certificates, while 51 sites are included into the world net Important Bird Area (IBA). Uzbekistan boasts a high diversi of avian fauna as it lies on the crossing of migratory routs fro western Siberia and Kazakhstan to Iran-Caspian and Indo-Pakista wintering grounds. More than 460 avian species are encountere in Uzbekistan owing to this fact; of these, more than 265 specie are nesting.

Немного о бёдвочинге

Самое удобное время года для орнитологических экскурсий (бёдвочинга) в Узбекистане – начало мая. Многие места для наблюдений за птицами расположены недалеко от крупных городов, наиболее часто посещаемых туристами. До всех этих мест нетрудно добраться самостоятельно.

Гости Ташкента могут посетить живописные горные урочища Западного Тянь-Шаня - Чимган и Бельдерсай, находящиеся в 2 часах езды о города. Всего лишь за один день здесь можно встретить более 40 видов птиц, в том числе – стервятника, орла-карлика, балобана, кеклика, серую неясыть, скалистую ласточку, клушицу и альпийскую галку, синюю птицу, желтогрудую лазоревку, каменного воробья, арчевого дубоноса, овсянку Стюарта и желчную овсянку.

В 120 км южнее Ташкента, на правом берегу Сырдарьи, сохранился участок пойменного леса – Дальверзинский тугай. Весной здесь повсюду слышны пронзительные крики токующих самцов сырдарьинского фазана (Turkestan Pheasant). Нетрудно увидеть и самих фазанов - фантастически ярких птиц. В тугае можно встретить и другие характерные для этого ландшафта виды – квакву, туркестанского тювика, буланую совку, белокрылого дятла, бухарскую синицу, черноголового ремеза. На песчаных отмелях реки можно увидеть авдотку, кулика-сороку, мелких куликов, зуйков, чаек и крачек.

Интересную экскурсию можно совершить и не покидая Ташкента. В городском ботаническом саду, площадь которого около 70 га, весной можно встретить более 30 видов птиц. Наряду с обычными «городскими» птицами, тут можно наблюдать малую поганку, малого баклана, камышницу, вяхиря, сплюшку, зимородка, бухарскую синицу, белокрылого дятла, свиристеля, крапивника, чернозобого дрозда, обыкновенного дубоноса.

Всего лишь в 40 км южнее города Самарканд, на Зеравшанском хребте, находится живописное горное урочище - перевал Тахтакарача. Здесь можно встретить более 40 видов птиц, в том числе – бородача, кумая, змееяда, тонкоклювого жаворонка, соловья-белошейку, райскую мухоловку, рыжешейную синицу, большого скалистого поползня, седоголового щегла.

В 42 км юго-восточнее древней Бухары расположен участок глинисто-песчаной пустыни с зарослями саксаула, такырами и солеными озерами. Это Экоцентр «Джейран», площадью 16350 га, на котором, благодаря строгой охране, сохраняется уникальный природный комплекс. За одну орнитологическую экскурсию здесь можно встретить до 50 водно-болотных и пустынных видов птиц, в том числе кудрявого и розового пеликанов, египетскую цаплю, белоглазую чернеть, дрофу-красотку, толстоклювого зуйка, кречетку, саджу, буланую совку, буланого козодоя, пустынную славку, скотоцерку, буланого вьюрка...

Интересных вам наблюдений!

Briefly about bird watching

The early May is the most convenient time of year for ornithological excursions (bird watching) in Uzbekistan. Many places for bird watching are situated not far from large cities, which are most visited by tourists. It is easy to reach these places independently.

Visitors to Tashkent can visit picturesque tracts of western Tien Shan – Chimgan and Berldersai, which are only two hours' drive from Tashkent. Within only one day it is possible record more than 40 avian species, namely the Egyptian Vulture, the Booted eagle, the Saker falcon, the Chuckar, the Tawny Owl, the Crag Martin, the Red-billed Chough and the Yellow-billed Chough, the Blue Whistling-thrush, the Yellow-breasted Tit, the Rock Sparrow, the White-winged Grosbeak, the White-capped Bunting and the Red-headed Bunting.

The site of a floodplain forest, Dalverzinsky tugai, is preserved 120 km to the south of Tashkent on the right bank of the Syrdarya River. The shrieks of lekking Turkestan Pheasant males can be heard throughout the forest. These birds with their fantastically bright plumage can be easily seen, too. Other species characteristic of this landscape, namely, the Black-crowned Night-heron, the Shikra, the Pallid Scops-owl, the White-winged Woodpecker, the Turkestan Tit, and the White-crowned Penduline-tit, can be recorded there, too. The Eurasian Stone-curlew, the Eurasian Oystercatcher, Sandpipers, and Plovers, Gulls and Terns can be seen in the shallow parts of the river.

An interesting excursion can be made without leaving Tashkent. In the city botanical garden, the area of which is about 70 ha, one can record more than thirty avian species. Together with common urban avian species, it is possible to observe the Little Grebe, the Pygmy Cormorant, the Common Moorhen, the Common Wood-pigeon, the Common Scops-owl), the Common Kingfisher, the Turkestan Tit, the White-winged Woodpecker, the Bohemian Waxwing, the Winter Wren, the Black-throated Thrush and the Hawfinch.

Only 40 km to the south of the City of Samarkand, there is a picturesque mountain tracts, the pass Takhtakaracha (Alexander pass) on the Zerafshan Ridge. More than 40 avian species can be encountered there, including the Lammergeier, the Himalayan Vulture, the Short-toed Snake-eagle, the Hume's Lark, the Persian Robin, the Asian Paradise-flycatcher, the Dark-grey Tit, the Eastern Rock-nuthatch and the Grey-headed Goldfinch.

A site of clay-sandy desert with saxaul growth, takyr soils and saline lakes is situated 42 km to the south-east of ancient Bukhara. There is the Ecocenter «Jeyran» («Goitered gazelle») with the area of 16350 ha, in which a unique natural complex is preserved owing to a strict protection regime. Only during one field trip, up to fifty wetland and desert avian species can be recorded there, including the Dalmatian Pelican and the Great White Pelican, the Cattle Egret, the Ferruginous Duck, the Houbara Bustard, the Greater Sand Plover, the Sociable Lapwing, the Pallas's Sandgrouse, the Pallid Scops-owl, the Egyptian Nightjar, the Desert Warbler, the Streaked Scrub-warbler and the Desert Finch.

We wish you exciting observations!

KAZAKHST

UZBEKIST

ARAL SEA

USTYURT PLATEAU

KYZYLKUM D

TURKME

Komsomolsk
Zhaslyk
Muynok
Kungrad
Chimbay
Takhtakupyr
Nukus
Beruni
Urgench
Khiva
Kulkuduk
Uchkuduk
Zar
Gazli
Gi
Bukh
Charjew
Amu Darya river

(16)
(1)
(8)
(24)
(37)
(29)
(26)
(4)
(32)
(20)
(19)

(1)	Akpetki tract	(17)	Dustlik	(33)	Nurata
(2)	Aksakata	(18)	Ecocenter "Jeyran"	(34)	Nurekata
(3)	Aksay	(19)	Gazli	(35)	Omonkhona
(4)	Amu Darya river	(20)	Karakyr Sanctuary	(36)	Pulatkhan plateau
(5)	Ayakagytma lake	(21)	Karasu river, Sherabad	(37)	Sarykamysh lake
(6)	Aydarkul lake	(22)	Karnabchul near Zirabulak	(38)	Sayrob
(7)	Baysun	(23)	Karnabchul steppe	(39)	Shavazsay
(8)	Beltau	(24)	Kegeli district	(40)	Sukok
(9)	Charvak	(25)	Khodjikent	(41)	Surenata
(10)	Chelek fishfarm	(26)	Khorezm oasis	(42)	Talimardzhan reservoir
(11)	Chimgan	(27)	Kukcha Mountain	(43)	Tamdytau
(12)	Chinaz	(28)	Kungurbuka Mountain	(44)	Tashkent
(13)	Dalverzin tugai	(29)	Kyzylkum Desert	(45)	Tuyabuguz reservoir
(14)	Damachi fihfarm	(30)	Mount Aktau	(46)	Tuzkan
(15)	Dargom canal	(31)	Mubarek	(47)	Yangiabad
(16)	Djarynkuduk	(32)	near Kuldjuktau Ridge	(48)	Zarafshan nature reserve

4

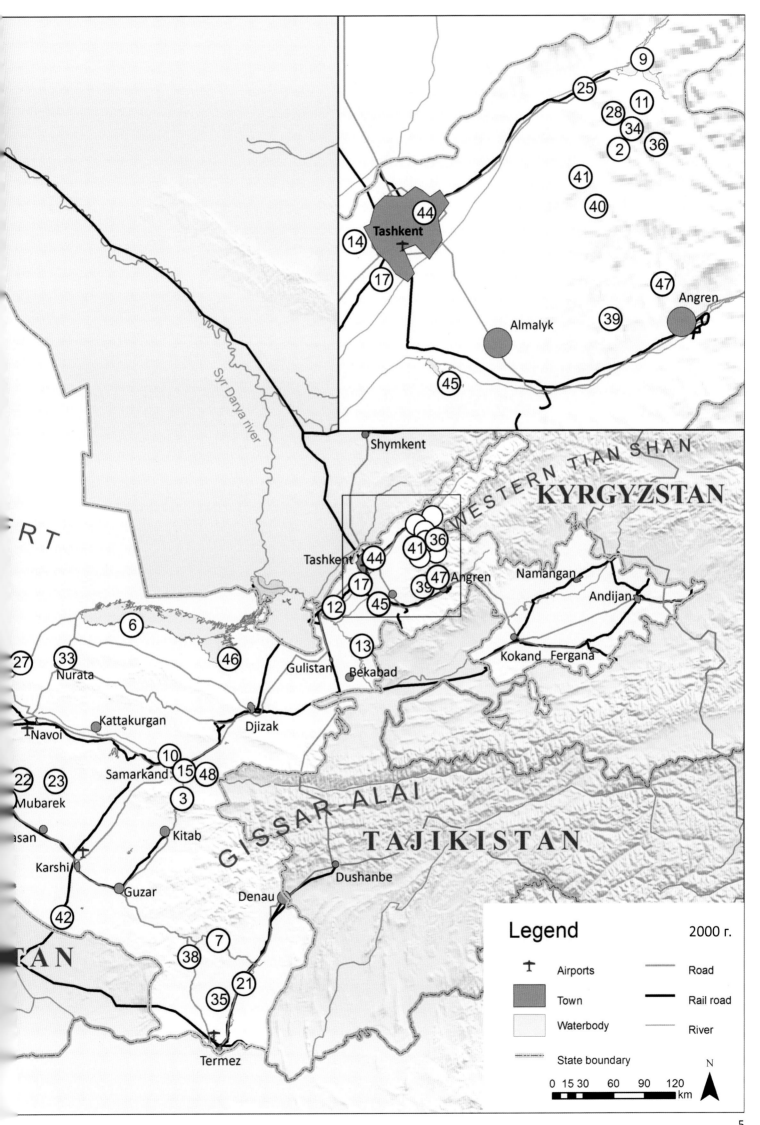

Legend 2000 г.

✝ Airports

Town

Waterbody

State boundary

Road

Rail road

River

N

0 15 30   60   90   120
km

5

Птицы равнин

Дальверзинский тугай в среднем течении р. Сырдарья, Ташкентская область/
Dalverzin tugai in middle part of Syrdarya river, Tashkent region
Алишер Атаходжаев/Alisher Atakhodjaev © 26.04.2009

Birds of plains

Майна/Common Myna/*Acridotheres tristis*
Озеро Аякагитма, Бухарская область/Ayakagytma lake, Bukhara region
Алишер Атаходжаев/Alisher Atakhodjaev © 16.07.2012

Зяблик/Eurasian Chaffinch/*Fringilla coelebs*
Ходжикент, Ташкентская область/Khodjikent, Tashkent region
Борис Недосеков/Boris Nedosekov ©18.12.2011

Черноголовый чекан/Common Stonechat/*Saxicola torquata*
Озеро Айдаркуль, Навоийская область/Aydarkul lake, Navoi region
Денис Нуриджанов/Denis Nuridjanov © 11.04.2012

Грач/Rook/*Corvus frugilegus*
Ташкент/Tashkent
Алишер Атаходжаев/Alisher Atakhodjaev © 04.01.2012

Деревенская ласточка/Barn Swallow/*Hirundo rustica*
Экоцентр «Джейран», Бухарская область/
Ecocenter "Jeyran", Bukhara region
Борис Недосеков/Boris Nedosekov © 29.05.2012

Рыжепоясничная ласточка/Red-rumped Swallow/*Hirundo daurica*
Янгиабад, Ташкентская область/Yangiabad, Tashkent region
Лидия Схинас/Lidiya Skhinas © 23.06.2011

Обыкновенная горлица/European Turtle-dove/*Streptopelia turtur*
Ташкент/Tashkent
Денис Нуриджанов/Denis Nuridjanov © 06.07.2011

Лесной конёк/Tre Pipit/*Anthus trivialis*
Чарвак, Ташкентская область/Charvak, Tashkent region
Михаил Шамшидов/Mikhail Shamshidov © 09.05.2010

Варакушка/Bluethroat/*Luscinia svecica*
Озеро Аякагитма, Бухарская область/Ayakagytma lake,
Bukhara region
Борис Недосеков/Boris Nedosekov © 19.09.2012

Юрок/Brambling/*Fringilla montifringilla*
Ташкент/Tashkent
Жавхар Ходжаев/Javkhar Khodjaev © 08.02.2012

Длиннохвостый сорокопут/Long-tailed Shrike/*Lanius schach*
р. Карасу, г.Шерабад, Сурхандарья/
Karasu river, Sherabad, Surkhandarya
Максим Митропольский/Maxim Mitropolskiy © 12.04.2011

Удод/Eurasian Hoopoe/*Upupa epops*
Туябугузское водохранилище, Ташкентская область/
Tuyabuguz reservoir, Tashkent region
Борис Недосеков/Boris Nedosekov ©
08.04.2012

Толстоклювый зуек/Greater Sand Plover/*Charadrius leschenaultii*
Пустыня Кызылкум южнее хребта Кульджуктау/
Kyzylkum Desert to the south Kuldjuktau Ridge
Наталья Мармазинская/
Nataliya Marmazinskaya © 30.05.2009

Обыкновенный скворец/Common Starling/
Sturnus vulgaris
Ташкент/Tashkent
Денис Нуриджанов/Denis Nuridjanov ©
31.12.2010

Буланый вьюрок/Desert Finch/*Rhodospiza obsoleta*
Мубарек, Кашкадарья/Mubarek, Kashkadarya
Денис Нуриджанов/Denis Nuridjanov ©
07.04.2012

Сибирская завирушка/Siberian Accentor/*Prunella montanella*
Озеро Сарыкамыш в Южном Приаралье, Каракалпакстан/
Sarykamysh lake in Southern Aral Sea region, Karakalpakstan
Валентин Солдатов/Valentin Soldatov © 31.10.2010

Буланый козодой/Egyptian Nigthjar/*Caprimulgus aegyptius*
Экоцентр «Джейран», Бухарская область/Ecocenter "Jeyran", Bukhara region
Валентин Солдатов/Valentin Soldatov © 30.04.2011

Хохлатый жаворонок/Crested Lark/*Galerida cristata*
Сурената, Ташкентская область/Surenata, Tashkent region
Алишер Атаходжаев/Alisher Atakhodjaev © 08.04.2010

Зарянка/European Robin/*Erithacus rubecula*
Река Амударья, Хорезмская область/Amu Darya river, Khorezm region
Максим Митропольский/Maxim Mitropolskiy © 05.12.2010

Белая трясогузка/White Wagtail/*Motacilla alba*
Талимарджанское водохранилище, Кашкадарья/Talimardzhan reservoir, Kashkadarya
Борис Недосеков/Boris Nedosekov © 17.09.2012

Желтая трясогузка/Yellow Wagtail/*Motacilla flava*
Талимарджанское водохранилище, Кашкадарья/Talimardzhan reservoir, Kashkadarya
Борис Недосеков/Boris Nedosekov © 17.09.2012

Черноголовая трясогузка/Black-headed Wagtail/*Motacilla (flava) feldegg*
Озеро Аякагитма, Бухарская область / Ayakagytma lake, Bukhara region
Алишер Атаходжаев/Alisher Atakhodjaev © 11.04.2011

Бухарская синица/Turkestan Tit/*Parus bokharensis*
Чарвак, Ташкентская область/Charvak, Tashkent region
Михаил Шамшидов/Mikhail Shamshidov © 01.09.2011

Индийский воробей/Indian Sparrow/*Passer indicus*
Экоцентр «Джейран», Бухарская область/
Ecocenter "Jeyran", Bukhara region
Борис Недосеков/Boris Nedosekov ©
29.05.2012

Полевой воробей/Eurasian Tree Sparrow/*Passer montanus*
Озеро Сарыкамыш в Южном Приаралье, Каракалпакстан/
Sarykamysh lake in Southern Aral Sea region, Karakalpakstan
Валентин Солдатов/Valentin Soldatov © 01.11.2010

Саксаульный воробей/Saxaul Sparrow/*Passer ammodendri*
Урочище Акпетки в Южном Приаралье/Akpetki tract in Southern Aral Sea region
Валентин Солдатов/Valentin Soldatov © 24.10.2010

Испанский воробей/Spanish Sparrow/*Passer hispaniolensis*
Дустлик, Ташкентская область/Dustlik, Tashkent region
Асиф Хан/Asif Khan © 13.05.2012

Пеночка-теньковка/Common Chiffchaff/*Phylloscopus collybita*
Туябугузское водохранилище/Tuyabuguz reservoir
Борис Недосеков/Boris Nedosekov © 01.04.2012

Пустынная каменка/Desert Wheatear/*Oenanthe deserti*
Байсун, Сурхандарья/Baysun, Surkhandarya
Денис Нуриджанов/Denis Nuridjanov © 24.10.2011

Саксаульная сойка/Turkestan Ground-jay/*Podoces panderi*
Газли, Бухарская область/Gazli, Bukhara region
Максим Митропольский/Maxim Mitropolskiy © 15.12.2010

Зарафшанский фазан (самки)/Zerafshan Pheasant/*Phasianus colchicus zerafshanicus*
Зарафшанский заповедник/Zarafshan nature reserve
Наталья Мармазинская/Nataliya Marmazinskaya © 21.11.2005

Золотистая щурка/European Bee-eater/*Merops apiaster*
Янгиабад, Ташкентская область/Yangiabad, Tashkent region
Лидия Схинас/Lidiya Skhinas © 10.08.2011

Зеленая щурка/Blue-cheeked Bee-eater/*Merops persicus*
Дальверзинский тугай в среднем течении р.Сырдарья/
Dalverzin tugai in middle part of Syrdarya river
Алишер Атаходжаев/Alisher Atakhodjaev © 23.04.2012

Обыкновенная кукушка/Common Cuckoo/*Cuculus canorus*
Дустлик, Ташкентская область/Dustlik, Tashkent region
Асиф Хан/Asif Khan © 13.05.2012

Лесной конек/Tre Pipit/*Anthus trivialis*
Дальверзинский тугай в среднем течении р. Сырдарья/
Dalverzin tugai in middle part of Syrdarya river
Олег Кашкаров/ Oleg Kashkarov © 20.04.2008

Туркестанский тювик/Shikra/*Accipiter badius*
Дальверзинский тугай в среднем течении р.Сырдарья/
Dalverzin tugai in middle part of Syrdarya river
Асиф Хан/Asif Khan © 19.05.2012

Белобрюхий рябок/Pin-tailed Sandgrouse/
Pterocles alchata
Бельтау, Каракалпакстан/
Beltau, Karakalpakstan
Артур Нуриджанов/Artur Nuridjanov ©
20.04.2003

Чернобрюхий рябок/Black-bellied Sandgrouse/*Pterocles orientalis*
Экоцентр «Джейран», Бухарская область/Ecocenter "Jeyran", Bukhara region
Асиф Хан/Asif Khan © 26.05.2012

Чернобрюхий рябок/Black-bellied Sandgrouse/*Pterocles orientalis*
Экоцентр «Джейран», Бухарская область/Ecocenter "Jeyran", Bukhara region
Борис Недосеков/Boris Nedosekov © 27.05.2012

Чернобрюхий рябок и круглоносый плавунчик/
Black-bellied Sandgrouses & Red-necked Phalarope/
Pterocles orientalis & Phalaropus lobatus
Экоцентр «Джейран», Бухарская область/Ecocenter "Jeyran", Bukhara region
Борис Недосеков/Boris Nedosekov © 27.05.2012

Саджа/Pallas's Sandgrouse/*Syrrhaptes paradoxus*
Озеро Каракир, Бухарская область/
Karakir lake, Bukhara region
Максим Митропольский/
Maxim Mitropolskiy ©
15.02.2010

Саджа/Pallas's Sandgrouse/
Syrrhaptes paradoxus
Озеро Каракир, Бухарская область/
Karakir lake, Bukhara region
Максим Митропольский/
Maxim Mitropolskiy © 15.02.2010

Галка/Eurasian Jackdaw/*Corvus monedula*
Сурената, Ташкентская область/ Surenata, Tashkent region
Алишер Атаходжаев/Alisher Atakhodjaev © 11.04.2010

Сырдарьинский фазан/Turkestan Pheasant/*Phasianus colchicus*
Дальверзинский тугай в среднем течении р.Сырдарья/
Dalverzin tugai in middle part of Syrdarya river
Асиф Хан/Asif Khan © 19.05.2012

Сизые голуби/Rock Pigeon/*Columba livia*
Канал Даргом, Самаркандская область/Dargom canal, Samarkand region
Наталья Мармазинская/Nataliya Marmazinskaya © 14.05.2010

Дрофа-красотка/Houbara Bustard/*Chlamydotis undulata*
Заказник Каракир, Бухарская область/Karakyr Sanctuary, Bukhara region
Наталья Мармазинская/Nataliya Marmazinskaya © 25.10.2005

Сизоворонка/European Roller/*Coracias garrulus*
Чимган, Ташкентская область/
Chimgan, Tashkent region
Асиф Хан/Asif Khan © 09.05.2012

Степной орел/Steppe Eagle/*Aquila nipalensis*
Озеро Айдаркуль, Навоийская область/Aydarkul lake, Navoi region
Денис Нуриджанов/Denis Nuridjanov © 21.04.2012

Курганник/Long-legged Buzzard/*Buteo rufinus*
Гора Актау, пустыня Кызылкум/Mount Aktau, Kyzilkum desert
Денис Нуриджанов/Denis Nuridjanov © 20.04.2012

Степной лунь/Pallid Harrier/*Circus macrourus*
Степь Карнабчуль, Самаркандская область/Karnabchul steppe, Samarkand region
Наталья Мармазинская/Nataliya Marmazinskaya © 13.04.2005

Степной лунь/Pallid Harrier/*Circus macrourus*
Талимарджанское водохранилище, Кашкадарья/Talimardzhan reservoir, Kashkadarya
Борис Недосеков/Boris Nedosekov © 18.09.2012

Стервятник/Egyptian Vulture/*Neophron percnopterus*
Озеро Аякагитма, Бухарская область/
Ayakagytma lake, Bukhara region
Валентин Солдатов/Valentin Soldatov © 20.04.2011

Луговой лунь/Montagu's Harrier/*Circus pygargus*
Талимарджанское водохранилище, Кашкадарья/Talimardzhan reservoir, Kashkadarya
Борис Недосеков/Boris Nedosekov © 18.09.2012

Черный коршун/Black Kite/*Milvus migrans*
Туябугузское водохранилище/Tuyabuguz reservoir
Борис Недосеков/Boris Nedosekov © 01.04.2012

Стервятник/Egyptian Vulture/
Neophron percnopterus
Озеро Сарыкамыш в Южном Приаралье,
Каракалпакстан/Sarykamysh lake in Southern
Aral Sea region, Karakalpakstan
Алишер Атаходжаев/Alisher Atakhodjaev © 27.05.2012

Чеглок/Eurasian Hobby/*Falco subbuteo*
Северные предгорья Зарафшанского хребта, пос. Аксай, Самаркандская область/
Northern foothills of Zarafshan ridge, Aksay, Samarkand region
Наталья Мармазинская/Nataliya Marmazinskaya © 15.09.2010

Птенцы домового сыча/Little Owl/*Athene noctua*
Кегейлийский район, Республика Каракалпакстан/
Kegely district, Karakalpakstan
Якуб Аметов/Yakub Ametov © May 2007

Домовй сыч/Little Owl/*Athene noctua*
Озеро Сарыкамыш в Южном Приаралье, Каракалпакстан/
Sarykamysh lake in Southern Aral Sea region, Karakalpakstan
Валентин Солдатов/Valentin Soldatov © 18.11.2010

Домовый сыч/Little Owl/*Athene noctua*
Степь Карнабчуль у Зирабулакских гор/
Karnabchul steppe near Zirabulak Mountains
Наталья Мармазинская/Nataliya Marmazinskaya © 29.05.2009

Филин/Eurasian Eagle-owl/*Bubo bubo*
Экоцентр «Джейран», Бухарская область/Ecocenter "Jeyran", Bukhara region
Тимур Кайсаров/Timur Kaysarov © 12.04.2009

Птенцы филина/Eurasian Eagle-owl/*Bubo bubo*
Озеро Аякагитма, Бухарская область/Ayakagytma lake, Bukhara region
Алишер Атаходжаев/Alisher Atakhodjaev © 20.04.2011

Птенцы курганника/Long-legged Buzzard/*Buteo rufinus*
Пустыня Кызылкум/Kyzylkum desert
Максим Митропольский/Maxim Mitropolskiy © 17.04.2008

Птенцы курганника/Long-legged Buzzard/*Buteo rufinus*
Джарынкудук, плато Устюрт/Djarynkuduk, Ustyurt plateau
Денис Нуриджанов/Denis Nuridjanov © 28.05.2011

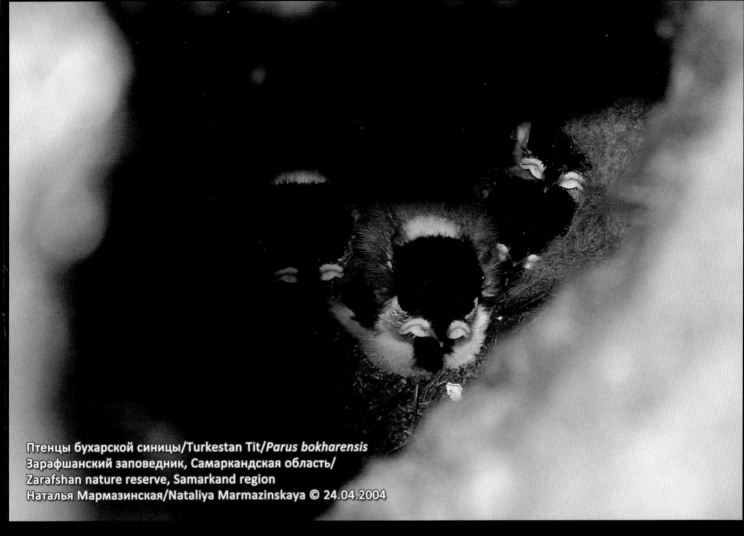

Птенцы бухарской синицы/Turkestan Tit/*Parus bokharensis*
Зарафшанский заповедник, Самаркандская область/
Zarafshan nature reserve, Samarkand region
Наталья Мармазинская/Nataliya Marmazinskaya © 24.04.2004

Птенец курганника/Long-legged Buzzard/*Buteo rufinus*
Пустыня Кызылкум/Kyzylkum desert
Мария Грицина/Maria Gritsina © 16.05.2012

Птицы водоемов

Waterbirds

Лебеди-шипуны/Mute Swan/*Cygnus olor*
Урочище Акпетки в Южном Приаралье, Каракалпакстан/
Akpetki tract in Southern Aral Sea region, Karakalpakstan
Валентин Солдатов/ Valentin Soldatov © 24.10.2010

Пеганка/Common Chelduck/*Tadorna tadorna*
Озеро Сарыкамыш в Южном Приаралье, Каракалпакстан/
Sarykamysh lake in Southern Aral Sea region, Karakalpakstan
Алишер Атаходжаев/Alisher Atakhodjaev © 27.05.2012

Серые гуси/Greylag Goose/*Anser anser*
Озеро Аякагитма, Бухарская область/
Ayakagytma lake, Bukhara region
Алишер Атаходжаев/Alisher Atakhodjaev © 11.04.2011

Чирок-свистунок/Eurasian Teal/*Anas crecca*
Ташкент/Tashkent
Денис Нуриджанов/Denis Nuridjanov © 28.01.2012

Широконоска/Northern Shoveler/*Anas clypeata*
Озеро Аякагитма, Бухарская область / Ayakagytma lake, Bukhara region
Алишер Атаходжаев/Alisher Atakhodjaev © 13.04.2011

Черныш/Green Sandpiper/*Tringa ochropus*
Озеро Аякагитма, Бухарская область / Ayakagytma lake, Bukhara region
Олег Кашкаров/Oleg Kashkarov © 26.04.2008

Луговая тиркушка/Collared Pratincole/
Glareola pratincola
Озеро Аякагитма, Бухарская область/
Ayakagytma lake, Bukhara region
Алишер Атаходжаев/Alisher Atakhodjaev ©
13.04.2011

Луговая тиркушка/Collared Pratincole/
Glareola pratincola
Дальверзинский тугай в среднем течении
р.Сырдарья/Dalverzin tugai in middle part
of Syrdarya river
Алишер Атаходжаев/Alisher Atakhodjaev ©
06.05.2012

Фифи/Wood Sandpiper/*Tringa glareola*
Озеро Аякагитма, Бухарская область/Ayakagytma lake, Bukhara region
Валентин Солдатов/Valentin Soldatov © 26.04.2008

Малый баклан/Pygmy Cormorant/
Phalacrocorax pygmeus
Ташкент/Tashkent
Денис Нуриджанов/Denis Nuridjanov ©
13.12.2010

Большой баклан/
Great Cormorant/
Phalacrocorax carbo
Экоцентр «Джейран», Бухарская область/
Ecocenter "Jeyran", Bukhara region
Борис Недосеков/Boris Nedosekov ©
15.09.2012

44

Большой веретенник/Black-tailed Godwit/*Limosa limosa*
Озеро Аякагитма, Бухарская область/Ayakagytma lake, Bukhara region
Валентин Солдатов/Valentin Soldatov © 15.04.2011

Кулик-воробей/Little Stint/*Calidris minuta*
Озеро Аякагитма, Бухарская область/Ayakagytma lake, Bukhara region
Валентин Солдатов/Valentin Soldatov © 27.04.2011

Ходулочник/Black-winged Stilt/*Himantopus himantopus*
Экоцентр «Джейран», Бухарская область/Ecocenter "Jeyran", Bukhara region
Борис Недосеков/Boris Nedosekov © 23.05.2012

Ходулочники и морской зуек/Black-winged Stilts & Kentish Plover/
Himantopus himantopus & Charadrius alexandrinus
Экоцентр «Джейран», Бухарская область/Ecocenter "Jeyran", Bukhara region
Борис Недосеков/Boris Nedosekov © 29.05.2012

Серая цапля/Grey Heron/*Ardea cinerea*
Талимарджанское водохранилище, Кашкадарья/
Talimardzhan reservoir, Kashkadarya
Борис Недосеков/Boris Nedosekov © 16.09.2012

Озерные чайки и речная крачка/Black-headed Gull/*Larus ridibundus*
Туябугузское водохранилище, Ташкентская область/Tuyabuguz reservoir , Tashkent region
Борис Недосеков/Boris Nedosekov © 19.08.2012

Озерная чайка/Black-headed Gull/*Larus ridibundus*
Рыбхоз Дамачи, Ташкентская область/Damachi fishfarm, Tashkent region
Алишер Атаходжаев/Alisher Atakhodjaev © 21.12.2008

Хохотунья/Yellow-legged Gull/*Larus cachinnans*
Озеро Сарыкамыш в Южном Приаралье, Каракалпакстан/
Sarykamysh lake in Southern Aral Sea region, Karakalpakstan
Алишер Атаходжаев/Alisher Atakhodjaev © 20.05.2012

Малая чайка/Little Gull/*Larus minutus*
Озеро Сарыкамыш в Южном Приаралье, Каракалпакстан/
Sarykamysh lake in Southern Aral Sea region, Karakalpakstan
Валентин Солдатов/ Valentin Soldatov © 31.10.2010

Хохотунья/Yellow-legged Gull/*Larus cachinnans*
Туябугузское водохранилище, Ташкентская область/Tuyabuguz reservoir, Tashkent region
Борис Недосеков/Boris Nedosekov © 19.08.2012

Хохотунья/Yellow-legged Gull/*Larus cachinnans*
Туябугузское водохранилище, Ташкентская область/
Tuyabuguz reservoir, Tashkent region
Борис Недосеков/Boris Nedosekov © 19.08.2012

Чеграва/Caspian Tern/*Sterna caspia*
Туябугузское водохранилище, Ташкентская область/Tuyabuguz reservoir , Tashkent region
Борис Недосеков/Boris Nedosekov © 19.08.2012

Речная крачка/Common Tern/*Sterna hirundo*
Туябугузское водохранилище, Ташкентская область/
Tuyabuguz reservoir, Tashkent region
Борис Недосеков/Boris Nedosekov © 19.08.2012

Малая крачка/Little Tern/*Sterna albifrons*
Экоцентр «Джейран», Бухарская область/
Ecocenter "Jeyran", Bukhara region
Борис Недосеков/Boris Nedosekov © 26.05.2012

Береговая ласточка/Sand Martin/*Riparia riparia*
**Талимарджанское водохранилище, Кашкадарья/
Talimardzhan reservoir, Kashkadarya**
Борис Недосеков/Boris Nedosekov © 18.09.2012

Большой кроншнеп/Eurasian Curlew/*Numenius arquata*
Озеро Аякагитма, Бухарская область/Ayakagytma lake, Bukhara region
Валентин Солдатов/Valentin Soldatov © 18.04.2011

Камышница/Common Moorhen/*Gallinula chloropus*
Ташкент/Tashkent
Борис Недосеков/Boris Nedosekov © 17.03.2012

Травник/Commom Redshank/*Tringa totanus*
Озеро Аякагитма, Бухарская область/Ayakagytma lake, Bukhara region
Валентин Солдатов/Valentin Soldatov © 11.04.2011

Каравайка/Glossy Ibis/*Plegadis falcinellus*
Озеро Аякагитма, Бухарская область/Ayakagytma lake, Bukhara region
Валентин Солдатов/Valentin Soldatov © 25.04.2011

Кваква/Black-crowned Night-heron/*Nycticorax nycticorax*
Экоцентр «Джейран», Бухарская область/Ecocenter "Jeyran", Bukhara region
Борис Недосеков/Boris Nedosekov © 30.05.2012

Каравайка/Glossy Ibis/*Plegadis falcinellus*
Озеро Аякагитма, Бухарская область/
Ayakagytma lake, Bukhara region
Алишер Атаходжаев/Alisher Atakhodjaev © 14.04.2012

Красноносые нырки/Red-crested Pochard/*Netta rufina*
Урочище Акпетки в Южном Приаралье/Akpetki tract in Southern Aral Sea region
Валентин Солдатов/Valentin Soldatov © 22.10.2010

Розовый фламинго/Greater Flamingo/*Phoenicopterus roseus*
Озеро Сарыкамыш в Южном Приаралье, Каракалпакстан/
Sarykamysh lake in Southern Aral Sea region, Karakalpakstan
Алишер Атаходжаев/Alisher Atakhodjaev © 23.05.2012

Кваква/Black-crowned Night-heron/
Nycticorax nycticorax
Дальверзинский тугай в среднем течении
р.Сырдарья/Dalverzin tugai in middle part
of Syrdarya river
Олег Кашкаров/Oleg Kashkarov © 20.04.2008

Малый зуек/Little-Ringed Plover/*Charadrius dubius*
Дальверзинский тугай в среднем течении р.Сырдарья/Dalverzin tugai in middle part of Syrdarya river
Борис Недосеков/Boris Nedosekov © 05.05.2012

Скопа/Osprey/*Pandion haliaetus*
Озеро Аякагитма, Бухарская область/Ayakagytma lake, Bukhara region
Валентин Солдатов/Valentin Soldatov © 25.04.2011

Песчанка/Sanderling/*Calidris alba*
Талимарджанское водохранилище, Кашкадарья/Talimardzhan reservoir, Kashkadarya
Борис Недосеков/Boris Nedosekov © 18.09.2012

Болотный лунь/Western Marsh-harrier/*Circus aeruginosus*
Талимарджанское водохранилище, Кашкадарья/
Talimardzhan reservoir, Kashkadarya
Борис Недосеков/Boris Nedosekov © 17.09.2012

Болотный лунь/Western Marsh-harrier/*Circus aeruginosus*
Экоцентр «Джейран», Бухарская область/
Ecocenter "Jeyran", Bukhara region
Борис Недосеков/Boris Nedosekov ©
26.05.2012

Болотный лунь/Western Marsh-harrier/
Circus aeruginosus
Дальверзинский тугай
в среднем течении р.Сырдарья/
Dalverzin tugai in middle part
of Syrdarya river
Алишер Атаходжаев/Alisher Atakhodjaev © 26.05.2012

Черноголовая трясогузка и болотный лунь/Black-headed Wagtail & Western Marsh-harrier/
Motacilla (flava) feldegg & Circus aeruginosus
Экоцентр «Джейран», Бухарская область/Ecocenter "Jeyran", Bukhara region
Борис Недосеков/Boris Nedosekov © 27.05.2012

Болотный лунь/Western Marsh-harrier/*Circus aeruginosus*
Талимарджанское водохранилище, Кашкадарья/
Talimardzhan reservoir, Kashkadarya
Борис Недосеков/Boris Nedosekov © 17.09.2012

Кречетка/Sociable Lapwing/
Vanellus gregarius
Талимарджанское водохранилище,
Кашкадарья/
Talimardzhan reservoir,
Kashkadarya
Борис Недосеков/
Boris Nedosekov ©
18.09.2012

Белохвостая пигалица/White-tailed Lapwing/
Vanellus leucurus
Экоцентр «Джейран», Бухарская область/Ecocenter "Jeyran", Bukhara region
Борис Недосеков/Boris Nedosekov © 29.05.2012

Белохвостая пигалица/White-tailed Lapwing/
Vanellus leucurus
Экоцентр «Джейран», Бухарская область/.
Ecocenter "Jeyran", Bukhara region
Борис Недосеков/Boris Nedosekov © 29.05.2012

Малая белая цапля/Little Egret/*Egretta garzetta*
Экоцентр «Джейран», Бухарская область/
Ecocenter "Jeyran", Bukhara region
Борис Недосеков/Boris Nedosekov © 23.05.2012

Кудрявый пеликан/Dalmatian Pelican/
Pelecanus crispus
Мубарек, Кашкадарья/Mubarek, Kashkadarya
Денис Нуриджанов/
Denis Nuridjanov ©
15.04.2012

Розовый пеликан/Great White Pelican/*Pelecanus onocrotalus*
Урочище Акпетки в Южном Приаралье/
Akpetki tract in Southern Aral Sea region
Валентин Солдатов/ Valentin Soldatov © 19.10.2010

Шилоклювка и красавка/Pied Avocet & Demoiselle Crane/*Recurvirostra avosetta & Grus virgo*
Челекский рыбхоз,Самаркандская область/Chelek Fishfarm, Samarkand region
Наталья Мармазинская/Nataliya Marmazinskaya © 29.04.2011

Розовый фламинго и красноносые нырки/Greater Flamingo & Red-crested Pochard/*Phoenicopterus roseus & Netta rufina*
Озеро Аякагитма, Бухарская область/Ayakagytma lake, Bukhara region
Борис Недосеков/Boris Nedosekov © 19.09.2012

Птицы
горных ландшафтов

Шавазсай, Ташкентская область/Shavazsay, Tashkent region
Алишер Атаходжаев/Alisher Atakhodjaev © 17.05.2010

Birds
of mountains

Серая мухоловка/Spotted Flycatcher/*Muscicapa striata*
Аксаката, Ташкентская область/
Aksakata, Tashkent region
Борис Недосеков/Boris Nedosekov ©
19.06.2012

Деряба/Mistle Thrush/*Turdus viscivorus*
Аксаката, Ташкентская область/Aksakata, Tashkent region
Борис Недосеков/Boris Nedosekov © 27.05.2012

Клушица/Red-billed Ghough/*Pyrrhocorax pyrrhocorax*
Плато Пулатхан, Ташкентская область/Pulatkhan plateau, Tashkent region
Михаил Шамшидов/Mikhail Shamshidov © 16.06.2012

Черная ворона/Carrion Crow/*Corvus corone*
Аксаката, Ташкентская область/Aksakata, Tashkent region
Борис Недосеков/Boris Nedosekov © 16.06.2012

Скальная овсянка/Grey-necked Bunting/*Emberiza buchanani*
Гора Кукча, Навоийская область/ Kukcha Mountain, Navoi region
Максим Митропольский/Maxim Mitropolskiy © 13.04.2008

Желчная овсянка/Red-headed Bunting/*Emberiza bruniceps*
Дустлик, Ташкентская область/Dustlik, Tashkent region
Асиф Хан/Asif Khan © 13.05.2012

Вяхирь/Commom Wood-pigeon/*Columba palumbus*
Ташкент/Tashkent
Денис Нуриджанов/Denis Nuridjanov © 13.05.2012

Белокрылый дятел/White-wingen Woodpecker/
Dendrocopos leucopterus ssp. leptorhynchus
Нуреката, Ташкентская область/Nurekata, Tashkent region
Михаил Шамшидов/Mikhail Shamshidov © 09.06.2012

Розовые скворцы/Rosy Starling/*Sturnus vulgaris*
Аксаката, Ташкентская область/Aksakata, Tashkent region
Борис Недосеков/Boris Nedosekov © 15.06.2012

Розовый скворец/Rosy Starling/*Sturnus vulgaris*
Аксаката, Ташкентская область/Aksakata, Tashkent region
Борис Недосеков/Boris Nedosekov © 15.06.2012

Просянка/Corn Bunting/*Miliaria calandra*
Сурената, Ташкентская область/Surenata, Tashkent region
Алишер Атаходжаев/Alisher Atakhodjaev © 08.04.2010

Обыкновенный дубонос/Hawfinch/*Coccothraustes coccothraustes*
Аксаката, Ташкентская область/Aksakata, Tashkent region
Борис Недосеков/Boris Nedosekov © 16.06.2012

Синий каменный дрозд/Blue Rock-thrush/*Monticola solitarius*
Гора Кунгурбука, Ташкентская область/Kungurbuka Mountain, Tashkent region
Михаил Шамшидов/Mikhail Shamshidov © 09.05.2011

Сплюшка/Common Scops-owl/*Otus scops*
Чарвак, Ташкентская область/Charvak, Tashkent region
Михаил Шамшидов/
Mikhail Shamshidov ©
14.06.2011

Кеклик/Chukar/*Alectoris chukar*
Нурата, Навоийская область/
Nurata, Navoi region
Денис Нуриджанов/
Denis Nuridjanov ©
26.04.2012

Синяя птица/Blue Whistling-thrush/*Myophonus caeruleus*
Янгиабад, Ташкентская область/Yangiabad, Tashkent region
Лидия Схинас/Lidiya Skhinas © 10.06.2012

Желтогрудая лазоревка/Yellow-breasted Tit/*Parus flavipectus*
Чарвак, Ташкентская область/Charvak, Tashkent region
Михаил Шамшидов/Mikhail Shamshidov © 25.08.2011

Полосатая тимелия/Streaked Laughing-thrush/*Garrulax lineatus*
Омонхона, Сурхандарья/Omokhona, Surkhandarya
Денис Нуриджанов/Denis Nuridjanov © 18.10.2011

Райская мухоловка/Asian Paradise-flycatcher/*Terpsiphone paradisi*
Аксаката, Ташкентская область/Aksakata, Tashkent region
Борис Недосеков/Boris Nedosekov © 19.06.2012

Стенолаз/Wallcreeper/*Tichodroma muraria*
Янгиабад, Ташкентская область/
Yangiabad, Tashkent region
Лидия Схинас/Lidiya Skhinas © 04.01.2011

Черная каменка/Variable Wheatear/*Oenanthe picata*
Нурата, Навоийская область/Nurata, Navoi region
Денис Нуриджанов/Denis Nuridjanov © 19.04.2012

Красноспинная горихвостка/Phoenicurus erythronotus/*Phoenicurus erythronotus*
Ташкент/Tashkent
Жавхар Ходжаев/Javkhar Khojaev© 23.03.2012

Горная трясогузка/Grey Wagtail/*Motacilla cinerea*
Нуреката, Ташкентская область/
Nurekata, Tashkent region
Михаил Шамшидов/Mikhail Shamshidov © 09.06.2011

Пестрый каменный дрозд/Rufous-tailed Rock-thrush/*Monticola saxatilis*
Озеро Аякагитма, Бухарская область/Ayakagytma lake, Bukhara region
Наталья Мармазинская/Nataliya Marmazinskaya © 11.04.2011

Белоголовый сип/Griffon Vulture/*Gyps fulvus*
Сайроб, Сурхандарья/Sayrob, Surkhandarya
Денис Нуриджанов/Denis Nuridjanov © 29.08.2011

Перепелятник/Eurasian Sparrowhawk/*Accipiter nisus*
Ходжикент, Ташкентская область/Khodjikent, Tashkent region
Алишер Атаходжаев/Alisher Atakhodjaev © 03.10.2010

Белоголовый сип/Griffon Vulture/*Gyps fulvus*
Байсун, Сурхандарья/Baysun, Surkhandarya
**Денис Нуриджанов/Denis Nuridjanov ©
18.10.2011**

Беркут/Golden Eagle/*Aquila chrysaetos*
Янгиабад, Ташкентская область/Yangiabad, Tashkent region
Лидия Схинас/Lidiya Skhinas © 12.07.2011

Обыкновенная пустельга/Common Kestrel/*Falco tinnunculus*
Сукок, Ташкентская область/Sukok, Tashkent region
Алишер Атаходжаев/Alisher Atakhodjaev © 18.04.2010

Птицы и люди

Птицы и люди

Ташкентская область/Tashkent region
Алишер Атаходжаев/Alisher Atakhodjaev © 08.01.2011

Birds and people

Большая белая цапля/Great Egret/*Casmerodius albus*
Ташкент, Ботанический сад/Tashkent, Botanic garden
Лидия Схинас/Lidiya Skhinas © 02.01.2011

Белые аисты на горящем поле/White storks on the burning field
Ташкентская область/Tashkent region
Юрий Чикин/Yuri Chikin © 22.02.2008

Белый аист/White Stork/*Ciconoa ciconia*
Чиназ, Ташкентская область/Chinaz, Tashkent region
Анвар Ходжаниязов/Anvar Khodzhaniyazov © 12.04.2011

Сизый голубь/Rock Pigeon/*Columba livia domest*
Ташкент/Tashkent
Борис Недосеков/Boris Nedosekov © 24.05.2007

Погибшая сорока около высоковольтных проводов/Magpie killed near high-power line
Ташкент/Tashkent
Максим Митропольский/Maxim Mitropolskiy © 22.03.2008

Сбитый машиной обыкновенный козодой/
Eurasian Nigthjar droped by car/*Caprimulgus europaeus*
Дальверзин, Ташкентская область/Dalverzin, Tashkent region
Борис Недосеков/Boris Nedosekov © 05.05.2012

Варакушка/Bluethroat/*Luscinia svecica*
Тамдытау, Навоийская область/Tamdytau, Navoi region
Максим Митропольский/Maxim Mitropolskiy ©
24.04.2008

Кудрявый пеликан, погибший в рыболовной сети/
The Dalmatian Pelican died in fishing net
Тузкан, Джизакская область/Tuzkan, Jizzakh region
Максим Митропольский/Maxim Mitropolskiy ©
24.04.2008

Серая неясыть/Tawny Owl/*Strix aluco*
Янгиабад/Yangiabad
Лидия Схинас/Lidiya Skhinas © 29.05.2012

Малая горлица/Laughing Dove/*Streptopelia senegalensis*
Ташкент/Tashkent
Олег Кашкаров/Oleg Kashkarov © 27.12.2007

Филин/Eurasian Eagle-owl/*Bubo bubo*
Ташкент/Tashkent
Борис Недосеков/Boris Nedosekov © 30.08.2009

Белый аист/White Stork/*Ciconoa ciconia*
Ташкент/Tashkent
Борис Недосеков/Boris Nedosekov © 07.09.2008

Ласточки и жаворонки над стадом/Swallows and Larks above the herd
Талимарджанское водохранилище, Кашкадарья/Talimardzhan reservoir, Kashkadarya
Борис Недосеков/Boris Nedosekov © 18.09.2012

Воронок/Northern House-martin/*Delichon urbica*
Ташкент/Tashkent
Борис Недосеков/Boris Nedosekov © 24.04.2012

Лебедь-шипун/Mute Swan/*Cygnus olor*
Ташкент/Tashkent
Борис Недосеков/Boris Nedosekov © 08.03.2009

Серая ворона/Hooded Crow/*Corvus cornix*
Ташкент/Tashkent
Жавхар Ходжаев/Javkhar Khodjaev © 15.11.2011

Сплюшка/Common Scops-owl/*Otus scops*
Самарканд/Samarkand
Наталья Мармазинская/
Nataliya Marmazinskaya © 18.06.2003

Бледная бормотушка/Eastern Olivaceous Warbler/*Hippolais pallida*
Озеро Сарыкамыш в Южном Приаралье, Каракалпакстан/
Sarakamysh lake in Southern Aral Sea region, Karakalpakstan
Алишер Атаходжаев/Alisher Atakhodjaev © 15.05.2012

Список представленных видов птиц
(в алфавитном порядке)

List of species
(alphabetically)

«Птицы Узбекистана»

Авторы:

Идея – Тураходжаев Д.М.;

Руководитель проекта, дизайн, верстка – Недосеков Б.В.;

Структура, тексты и научная редакция – Кашкаров Р.Д., кандидат биологических наук, ведущий научный сотрудник Национального Университета Узбекистана;

Карта Узбекистана – А.Г. Тен, старший научный сотрудник Эко-центра «Джейран»

Авторы фотографий: Аметов Я. И. – стр. 34; Атаходжаев А.А.– стр. 1, 3, 7-9, 15, 17, 22, 26, 33, 35, 38, 40-43, 50, 51, 58, 59, 62, 72, 79, 86-89, 97; Грицина М. – стр. 37; Кайсаров Т. – стр. 20, 35; Кашкаров О.Р. – стр. 23, 42, 60, 94; Мармазинская Н.В. – стр. 13, 21, 27, 31, 33, 34, 37, 70, 85, 97; Митропольский М.Г. – стр. 12, 15, 21, 25, 36, 76, 92, 93 ; Недосеков Б.В. – стр. 1-3, 8, 10, 12, 16, 18, 20, 24, 25, 31-33, 44, 46-50, 52-56, 58, 60-67, 70, 74, 75, 78, 79, 83, 91, 92, 94-96; Нуриджанов А.С. – стр. 24; Нуриджанов Д.А. – стр. 9, 11, 13, 21, 30, 36, 41, 44, 67, 77, 81-83, 85, 86; Солдатов В.А. – стр. 14, 18, 19, 32, 34, 40, 43, 45, 51, 56, 57, 59, 61, 68; Схинас Л.В. – стр. 10, 22, 81, 83, 87, 90, 94; Хан А.Р. – стр. 19, 23, 24, 26, 28, 29, 76; Ходжаев Ж.Т. – стр. 12, 84, 97; Ходжаниязов А. – стр. 91; Чикин Ю.А. – стр. 90; Шамшидов М.А. – стр. 11, 17, 75, 77, 80, 82, 84.

Аннотация: По популярности и количеству наблюдений птицы занимают одно из «призовых» мест среди объектов живой природы - наряду с цветами и бабочками. Птицы встречаются повсюду и хорошо заметны, многие из них живут рядом с человеком. Внешний вид и поведение птиц очень разнообразны. В мире нет ни одной страны, где бы ни наблюдали за птицами.

Этот фотоальбом - первая попытка объединить фотографии, сделанные членами Республиканского ННО «Общество охраны птиц Узбекистана». Их авторы не профессиональные фотографы – это ученые-орнитологи, преподаватели, студенты и просто любители природы. В альбоме представлена лишь часть (129 видов) птиц, обитающих в нашей стране. Фотографии сделаны в разных уголках Узбекистана, которые можно найти на карте.

Авторы надеются, что, просмотрев этот альбом, многие заинтересуются наблюдениями за птицами. Присоединяйтесь, наблюдайте и фотографируйте птиц! Вы получите большое эстетическое наслаждение, а возможно, войдете в число авторов следующего фотоальбома.

Благодарности:

Составители альбома благодарят всех, кто откликнулся на предложение поделиться своими фотографиями и не пожалел на это времени.

Общество охраны птиц Узбекистана благодарит Тураходжаева Дильшода Мурадбековича, без чьей поддержки публикация фотоальбома была бы невозможна.

Издательский дом
Hertfordshire Press
Адрес: Suite 125, 43 Bedford Street
Covent Garden, WC2R 9HA, United Kingdom
E-mail: publisher@ocamagazine.com
www.hertfordshirepress.com
© 2012 Hertfordshire Press

Технический редактор: Анастасия Ли
Дизайнер: Борис Недосеков, Виктория Родионова
Все права защищены. Полное или частичное копирование произведений запрещено, согласование использования произведений производится с издателем.
British Library Catalogue in Publication Data
A catalogue record for this book is available from the British Library
Library of Congress in Publication Data

ISBN 978-0-9574807-1-1

Отпечатано IMAK OFSET, Турция

Birds of Uzbekistan

Authors:

Concept – Turakhodjaev D.M.

Project director, design, layout – Nedosekov B.V.;

Contents, structure, texts and scientific editing – Kashkarov R.D., Cand. Sci. (Biol.), Leading Research Worker at the National University of Uzbekistan;

The map of Uzbekistan – A.G. Ten, Senior Research Worker of the Ecocenter Djeyran

Authors of photographs: Ametov Y.I. – p. 34; Atakhodjaev A.A. – pp. 1, 3, 7-9, 15, 17, 22, 26, 33, 35, 38, 40-43, 50, 51, 58, 59, 62, 72, 79, 86-89, 97; Chikin Y.A. – p. 90; Gritsina M. – p. 37; Kashkarov O.R. – pp. 23, 42, 60, 94; Kaysarov T. – pp. 20, 35; Khan A.R. – pp. 19, 23, 24, 26, 28, 29, 76; Khodjaev J.T. – pp. 12, 84, 97; Khodzhaniyazov A. - p. 91; Marmazinskaya N.V. – pp. 13, 21, 27, 31, 33, 34, 37, 70, 85, 97; Mitropolskiy M.G. – pp. 12, 15, 21, 25, 36, 76, 92, 93; Nedosekov B.V. – pp. 1-3, 8, 10, 12, 16, 18, 20, 24, 25, 31-33, 44, 46-50, 52-56, 58, 60-67, 70, 74, 75, 78, 79, 83, 91, 92, 94-96; Nuridjanov A.S. – p. 24; Nuridjanov D.A. – pp. 9, 11, 13, 21, 30, 36, 41, 44, 67, 77, 81-83, 85, 86; Shamshidov M.A. – pp. 11, 17, 75, 77, 80, 82, 84; Skhinas L.V. – pp. 10, 22, 81, 83, 87, 90, 94; Soldatov V.A. – pp. 14, 18, 19, 32, 34, 40, 43, 45, 51, 56, 57, 59, 61, 68

Summary: by popularity and number of observations, the birds occupy one of the "prize" places amongst wild life objects, sharing this place with flowers and butterflies. Birds are encountered everywhere and well visible, many of them inhabiting human-populated areas. The external look and behavior of birds are very diverse. People observe birds in all states of the world.

This photographic album is the first attempt to unite photographs made by the members of the Republican NGO «Uzbekistan Society for the Protection of Birds». Their authors are not professional photographers; rather, they are scientists-ornithologists, teachers, students and just nature lovers. The album included only part (129 species) of birds inhabiting our state. The photographs have been made in different parts of Uzbekistan, which can be found on the map.

The authors hope that many people will become interested in bird watching after viewing this album. Join, watch and take pictures of birds! You will esthetically enjoy it and, perhaps, be included into the list of authors of the next photo album.

Acknowledgements:

The album compilers are indebted to those who responded to our suggestion to share their photographs, and did not spare time for that.

Uzbekistan Society for the Protection of Birds is thankful to Turakhojaev Dilshod, without whose support the publication of this photo album would be impossible.

First published in 2012
by Hertfordshire Press
Suite 125, 43 Bedford Street
Covent Garden, WC2R 9HA, United Kingdom
E-mail: publisher@ocamagazine.com
www.hertfordshirepress.com

Series editor: Anastacia Lee
All rights received. No part of this book may be reprinted or reproduced or utilised in any form or by any electronic, mechanical, or other means, now known or hereafter invented, including photocopying and recording, or in any information storage or retrieval system, without permission in writing from the publishers.
British Library Catalogue in Publication Data
A catalogue record for this book is available from the British Library
Library of Congress in Publication Data

ISBN 978-0-9574807-2-8

Printed in Turkey by IMAK OFSET